MARINA KLINK

VAMOS DAR A VOLTA AO MUNDO?

Conhecendo nosso planeta com a família Klink

Ilustrações
Cárcamo

Companhia das Letrinhas

Copyright do texto © 2018 by Marina Bandeira Klink
Copyright das ilustrações © 2018 by CárcamO

Grafia atualizada segundo o Acordo Ortográfico da Língua
Portuguesa de 1990, que entrou em vigor no Brasil em 2009.

Revisão
VIVIANE T. MENDES
LUCIANA BARALDI
ARLETE SOUSA

Tratamento de imagem
AMÉRICO FREIRIA

Dados Internacionais de Catalogação na Publicação (CIP)
(Câmara Brasileira do Livro, SP, Brasil)

Klink, Marina Bandeira
    Vamos dar a volta ao mundo?: Conhecendo nosso
planeta com a família Klink / Marina Bandeira Klink;
ilustrações CárcamO. — 1ª ed. — São Paulo: Companhia
das Letrinhas, 2018.

    ISBN 978-85-7406-798-8

    1. Família Klink — Viagens 2. Literatura infantojuvenil.
3. Viagens — Literatura infantojuvenil I. Cárcamo. II.
Título.

17-05664	CDD-028.5

Índices para catálogo sistemático:
1. Literatura infantil 028.5
2. Literatura infantojuvenil 028.5

4ª reimpressão

2021

Todos os direitos desta edição reservados à
EDITORA SCHWARCZ S.A.
Rua Bandeira Paulista, 702, cj. 32
04532-002 — São Paulo — SP — Brasil
☎ (11) 3707-3500
🔗 www.companhiadasletrinhas.com.br
🔗 www.blogdaletrinhas.com.br
🔲 /companhiadasletrinhas
🔲 companhiadasletrinhas
▶ /CanalLetrinhaZ

Sei que a maioria das pessoas não terá o privilégio de ver o mundo como eu pude conhecer. Por isso dedico este livro às crianças de todas as idades espalhadas ao redor do planeta.

Nós vivemos num planeta muito grande chamado Terra. Apesar de ter esse nome, grande parte da Terra é formada por água.

MARINA KLINK

AMYR KLINK

TAMARA
7 ANOS

MARININHA
5 ANOS

LAURA
7 ANOS

Somos a família Klink e gostamos de viajar pelo mundo.

O papai se chama Amyr e a mamãe, Marina. As filhas são a Laura, a Tamara e a Marininha.

PARATII   O 30

Faz muito tempo que o papai faz viagens para conhecer o mundo. Ele gostava de viajar sozinho, mas nós sentíamos saudade e ficávamos tristes sem ele. Um dia, a mamãe teve uma grande ideia! Pediu a ele que levasse a nossa família junto numa próxima vez. O papai então construiu um veleiro bem grande para que coubesse toda a família.

O veleiro é um barco que usa a força dos ventos para se locomover. Muitos veleiros também têm motores, que podem ser usados quando o vento está fraco. Quando ele está muito forte e as irmãs Klink sentem medo, a Marina inventa uma brincadeira para as meninas se distraírem e seguirem a viagem brincando. Esse truque sempre dá certo!

Desse dia em diante começamos a viajar todos juntos para descobrir as maravilhas do nosso planeta — até aquelas que estão embaixo d'água!

Às vezes viajamos de carro, outras vezes de avião. Também viajamos de trem, de navio, de veleiro e até de canoa! Mas antes de qualquer partida, cada um vai imaginando como será aquele lugar...

Toda viagem começa na imaginação!

Para conhecer lugares diferentes do planeta, nós nos preparamos para muitos desafios.

Antes de embarcar, todos nós temos que pensar em tudo que precisamos levar: na roupa, na comida, na água para beber e até no papel higiênico!

Existem lugares onde faz muito frio. Vestindo a roupa certa podemos brincar juntos na neve.

BOTA

CACHECOL

CASACO

BIQUÍNI

BERMUDA

BOIA DE PATINHO

MAIÔ

ÓCULOS DE SOL

No verão, gostamos de nadar na praia. Para isso, levamos trajes de banho e roupas leves para o calor.

Os dias de chuva não estragam a viagem se estivermos preparados. O Amyr gosta de levar as meninas para brincar na chuva. Todos acham divertido voltar pingando, menos a Marina, que fica brava.

Em alguns lugares faz tanto frio que tudo congela, até a tinta das canetas e os computadores! Nesses dias é impossível sair de carro ou ônibus, e as crianças nem conseguem ir para a escola. Brrrrr!

GUARDA-CHUVA

CAPA DE CHUVA

GALOCHAS

A Marina gosta de fotografar. De volta em casa, ela mostra para os amigos as maravilhas da natureza. As meninas escrevem e desenham em seus diários tudo o que aconteceu. No futuro, quando revirem os desenhos e as anotações, elas se lembrarão de tudo.

Durante as viagens, a Marina gosta de falar
sobre os bichos que encontramos pelo caminho.
Ela conta o que eles gostam de comer, o que gostam
de fazer e onde dormem. Ela mostra quais são
mansinhos e alerta sobre os perigosos, e sempre
diz que é importante não atrapalhar a vida dos bichos.
Eles precisam ser respeitados porque, assim como
os seres humanos, também vivem no planeta Terra.

A Tamara gosta de conhecer as florestas, lugares cobertos por muitas árvores. Elas crescem até as copas ficarem próximas umas das outras, formando um teto verde. Não dá para ver nem um tiquinho de céu.

É fácil se perder na floresta. No meio de muitas plantas, tudo parece igual! Às vezes os pássaros cantam bem perto de nós, mas é difícil enxergá-los. Os mais espertos ficam atrás dos galhos e das folhas, vendo tudo o que acontece, sempre bem escondidinhos.

A Tamara é muito aventureira e não tem medo de andar pela floresta nem dos bichos escondidos. Ela se arrisca tanto que acaba sempre tropeçando em alguma coisa e termina com um curativo na mão e outro no pé.

É divertido ouvir o som dos bugios. Eles são macacos que acordam bem cedo. Quando o dia começa, eles fazem a maior algazarra e gritam muito alto, despertando todos os bichos da floresta. Os maiores inimigos dos bugios são os caçadores. Quando os bichos gritam, é fácil para o caçador encontrá-los no meio da mata.

Nas florestas vivem muitas plantas e bichos de todos os tamanhos.

A Laura prefere ir para o deserto, onde quase nunca chove. Nos desertos, pode fazer muito calor durante o dia e muito frio à noite. Como não há árvores no caminho, conseguimos ver bem longe.

No deserto, pode existir água escondida embaixo da terra. Em alguns lugares, essa água encontra aberturas e sobe até o chão onde pisamos, criando jardins naturais. Esses jardins do deserto são chamados de oásis.

ROSA DO DESERTO

DROMEDÁRIO

BESOURO

Muitos animais vivem no deserto.
Alguns conseguem ficar dias sem beber
água e outros até se enterram na areia
para escapar do calor do sol!

CACTOS

RATO

ESCORPIÃO

LAGARTO

SERPENTE

A Laura nos mostra muitas coisas no deserto. Ela gosta de
observar os detalhes e sempre enxerga o que a gente não tinha visto.

A Laura gosta de viajar para desertos porque lá não existem casas, lojas nem postes de luz. São lugares especiais para se observar o céu. À noite, longe da luz das cidades, é possível ver o infinito ao redor da Terra: as estrelas mais brilhantes, planetas, galáxias e nebulosas.

Faz muito tempo que os seres humanos estudam o céu e as estrelas. Eles viram que elas formavam desenhos de pessoas, animais e objetos. Essas figuras são chamadas de constelações.

GÊMEOS

PEIXES

A Marininha gosta de lugares muito frios, próximos ao polo Sul e ao polo Norte. Ela gosta de brincar de escorregar no gelo e fazer bonecos de neve. Bem agasalhada e com o corpo quentinho, está sempre pronta para se divertir!

ICEBERG

Em duas partes do planeta Terra — polo Norte e polo Sul — existem lugares onde faz muito frio o ano todo e, em vez de chover, cai neve. Quando grandes pedaços de gelo se soltam das geleiras e saem flutuando pelo mar, são chamados de icebergs.

Quem vê toda essa neve acha que quase não existem seres vivos nesses lugares. Mas plantas bem pequenas e bichos grandes, pequenos e microscópicos sobrevivem em lugares gelados.

Viajando em família, nós aprendemos
muitas coisas novas.

Descobrimos, por exemplo, que algumas
pessoas preferem ir a lugares frios e outras,
a lugares quentes. Que tem quem goste de
ver bichos e quem prefira brincar na praia.

Algumas vezes, um clarão de luz
colorida pinta o céu. Aparecem
formas variadas em verde, roxo
e até cor-de-rosa. No polo Norte,
esse fenômeno é conhecido como
Aurora Boreal, e no polo Sul,
como Aurora Austral.

Aprendemos que, mesmo aqueles
que não gostam das mesmas coisas
que a gente, podem ser bons amigos,
se respeitarmos seu modo de ser
e suas escolhas.

Aprendemos também que a vida existirá enquanto cuidarmos do nosso planeta. Para proteger a vida dos bichos e das florestas, temos que ter atenção com o que levamos e não podemos jogar o lixo em qualquer lugar. Temos que pensar nos animais e nas plantas e colocar o lixo sempre no lugar certo.

Viajando aprendemos, enfim, a respeitar o nosso planeta, a casa de todos os seres vivos.

E VOCÊ, PARA ONDE GOSTARIA DE IR? A TERRA ESTÁ DE BRAÇOS ABERTOS, À SUA ESPERA!

NOSSO ÁLBUM DE VIAGEM

Diamantberg (Montanha do Diamante), Namíbia

Flutuação no Rio da Prata, Bonito, Mato Grosso do Sul

Parque Nacional Torres del Paine, Chile

Parque Nacional do Pantanal Mato-grossense, Poconé, Mato Grosso

Miranda, Pantanal Sul, Mato Grosso do Sul

Parque AI-AIS Richtersveld Transfrontier, entre a Namíbia e a África do Sul

Boto cor-de-rosa, Parque Nacional de Anavilhanas, Novo Airão, Amazonas

Parque Nacional Kruger, África do Sul

Paratii 2 no Estreito de Gerlache, Antártica

Farol Les Éclaireurs, Canal Beagle, Argentina

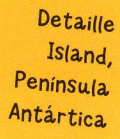

Detaille Island, Península Antártica

Passeio de bote em Pleneau, Península Antártica

Golden Harbour, Geórgia do Sul

De canoa em Pleneau, Península Antártica

Velejando de Optimist, Horseshoe Island, Baía Margarida, Antártica

SOBRE MARINA KLINK

Eu sempre gostei de estar em contato com a natureza e, quando era criança, colecionava insetos. Costumava velejar com meu pai, e com dez anos de idade ganhei meu próprio veleiro, um Optimist, e passei a sair sozinha. Desde então, nunca mais parei de me aventurar para conhecer lugares novos. Trabalhei durante muitos anos organizando festas, até que decidi me dedicar à fotografia de natureza, para poder mostrar as descobertas que faço em cada viagem.

Nesses anos todos de exploração pelo planeta, entendi que quando viajamos em família aprendemos na prática a respeitar as diferenças e descobrimos rapidamente os principais valores das maravilhas escondidas da natureza.

Este livro é um incentivo para os pequenos olharem menos o mundo através dos aparelhos eletrônicos e descobrirem o mundo maravilhoso que existe do lado de fora da janela. Coloco registros de viagens no meu site: <marinaklink.com>.